**SENTIMENTO
DO MUNDO**

SENTIMENTO
DO MUNDO

CARLOS
DRUMMOND
DE ANDRADE

POSFÁCIO DE
AILTON KRENAK

nova edição

EDITORA RECORD
RIO DE JANEIRO • SÃO PAULO
2025

CONSELHO EDITORIAL
Afonso Borges, Edmílson Caminha,
Livia Vianna, Luis Mauricio Graña Drummond,
Pedro Augusto Graña Drummond,
Roberta Machado, Rodrigo Lacerda
e Sônia Machado Jardim

EDITOR-EXECUTIVO
Rodrigo Lacerda

GERENTE EDITORIAL
Duda Costa

EDITORA ASSISTENTE
Thaís Lima

ASSISTENTES EDITORIAIS
Caíque Gomes e Nathalia Necchy (estagiária)

PROJETO GRÁFICO DE CAPA E MIOLO
Leonardo Iaccarino

FIXAÇÃO DE TEXTO
Edmílson Caminha

CRONOLOGIA
José Domingos de Brito (criação)
Marcella Ramos (checagem)

BIBLIOGRAFIAS
Alexei Bueno

REVISÃO
Glória Carvalho

DIAGRAMAÇÃO
Marcos Vieira

IMAGEM DE CAPA
"Flor do Mandacaru", de Catarina Bessell

AUTOCARICATURA (LOMBADA)
Carlos Drummond de Andrade, 1961

FOTO DRUMMOND (ORELHA)
Sylvio Leitão da Cunha, 1945. Arquivo Carlos
Drummond de Andrade / Fundação Casa de
Rui Barbosa

CIP-BRASIL. CATALOGAÇÃO NA PUBLICAÇÃO
SINDICATO NACIONAL DOS EDITORES DE LIVROS, RJ

A566s
32. ed.

Andrade, Carlos Drummond de, 1902-1987
  Sentimento do mundo / Carlos Drummond de Andrade. - 32. ed.
Rio de Janeiro : Record, 2025.

  Inclui bibliografia
  ISBN 978-65-5587-460-0

  1. Poesia brasileira. I. Título.

22-75378

CDD: 869.1
CDU: 82-1(81)

Meri Gleice Rodrigues de Souza - Bibliotecária - CRB-7/6439

Carlos Drummond de Andrade © Graña Drummond
www.carlosdrummond.com.br

Todos os direitos reservados. Proibida a reprodução, armazenamento ou transmissão de partes
deste livro, através de quaisquer meios, sem prévia autorização por escrito.

Texto revisado segundo o Acordo Ortográfico da Língua Portuguesa de 1990.

Direitos exclusivos desta edição reservados pela
EDITORA RECORD LTDA.
Rua Argentina, 171 – Rio de Janeiro, RJ – 20921-380 – Tel.: (21) 2585-2000.

Impresso no Brasil

ISBN 978-65-5587-460-0

Seja um leitor preferencial Record.
Cadastre-se no site www.record.com.br e receba informações
sobre nossos lançamentos e nossas promoções.

Atendimento e venda direta ao leitor:
sac@record.com.br

SUMÁRIO

9	Sentimento do mundo
11	Confidência do itabirano
12	Poema da necessidade
13	Canção da Moça-Fantasma de Belo Horizonte
16	Tristeza do Império
17	O operário no mar
19	Menino chorando na noite
20	Morro da Babilônia
21	Congresso Internacional do Medo
22	Os mortos de sobrecasaca
23	Brinde no Juízo Final
24	Privilégio do mar
25	Inocentes do Leblon
26	Canção de berço
28	Indecisão do Méier
29	Bolero de Ravel
30	*La Possession du monde*
31	Ode no cinquentenário do poeta brasileiro
35	Os ombros suportam o mundo
36	Mãos dadas
37	Dentaduras duplas
40	Revelação do subúrbio
41	A noite dissolve os homens
43	Madrigal lúgubre
45	Lembrança do mundo antigo

46	Elegia 1938
47	Mundo grande
49	Noturno à janela do apartamento
51	Posfácio, *por Ailton Krenak*
59	Cronologia: Na época do lançamento (1937-1943)
71	Bibliografia de Carlos Drummond de Andrade
79	Bibliografia sobre Carlos Drummond de Andrade (seleta)
89	Índice de primeiros versos

SENTIMENTO DO MUNDO

SENTIMENTO DO MUNDO

Tenho apenas duas mãos
e o sentimento do mundo,
mas estou cheio de escravos,
minhas lembranças escorrem
e o corpo transige
na confluência do amor.

Quando me levantar, o céu
estará morto e saqueado,
eu mesmo estarei morto,
morto meu desejo, morto
o pântano sem acordes.

Os camaradas não disseram
que havia uma guerra
e era necessário
trazer fogo e alimento.
Sinto-me disperso,
anterior a fronteiras,
humildemente vos peço
que me perdoeis.

Quando os corpos passarem,
eu ficarei sozinho
desfiando a recordação
do sineiro, da viúva e do microscopista

que habitavam a barraca
e não foram encontrados
ao amanhecer

esse amanhecer
mais noite que a noite.

CONFIDÊNCIA DO ITABIRANO

Alguns anos vivi em Itabira.
Principalmente nasci em Itabira.
Por isso sou triste, orgulhoso: de ferro.
Noventa por cento de ferro nas calçadas.
Oitenta por cento de ferro nas almas.
E esse alheamento do que na vida é porosidade e comunicação.

A vontade de amar, que me paralisa o trabalho,
vem de Itabira, de suas noites brancas, sem mulheres e sem horizontes.
E o hábito de sofrer, que tanto me diverte,
é doce herança itabirana.

De Itabira trouxe prendas diversas que ora te ofereço:
esta pedra de ferro, futuro aço do Brasil;
este São Benedito do velho santeiro Alfredo Duval;
este couro de anta, estendido no sofá da sala de visitas;
este orgulho, esta cabeça baixa...

Tive ouro, tive gado, tive fazendas.
Hoje sou funcionário público.
Itabira é apenas uma fotografia na parede.
Mas como dói!

POEMA DA NECESSIDADE

É preciso casar João,
é preciso suportar Antônio,
é preciso odiar Melquíades,
é preciso substituir nós todos.

É preciso salvar o país,
é preciso crer em Deus,
é preciso pagar as dívidas,
é preciso comprar um rádio,
é preciso esquecer fulana.

É preciso estudar volapuque,
é preciso estar sempre bêbedo,
é preciso ler Baudelaire,
é preciso colher as flores
de que rezam velhos autores.

É preciso viver com os homens,
é preciso não assassiná-los,
é preciso ter mãos pálidas
e anunciar O FIM DO MUNDO.

CANÇÃO DA MOÇA-FANTASMA DE BELO HORIZONTE

Eu sou a Moça-Fantasma
que espera na Rua do Chumbo
o carro da madrugada.
Eu sou branca e longa e fria,
a minha carne é um suspiro
na madrugada da serra.
Eu sou a Moça-Fantasma.
O meu nome era Maria,
Maria-Que-Morreu-Antes.

Sou a vossa namorada
que morreu de apendicite,
no desastre de automóvel
ou suicidou-se na praia
e seus cabelos ficaram
longos na vossa lembrança.
Eu nunca fui deste mundo:
Se beijava, minha boca
dizia de outros planetas
em que os amantes se queimam
num fogo casto e se tornam
estrelas, sem ironia.

Morri sem ter tido tempo
de ser vossa, como as outras.
Não me conformo com isso,

e quando as polícias dormem
em mim e fora de mim,
meu espectro itinerante
desce a Serra do Curral,
vai olhando as casas novas,
ronda as hortas amorosas
(Rua Cláudio Manuel da Costa),
para no Abrigo Ceará,
não há abrigo. Um perfume
que não conheço me invade:
é o cheiro do vosso sono
quente, doce, enrodilhado
nos braços das espanholas...
Oh! deixai-me dormir convosco.

E vai, como não encontro
nenhum dos meus namorados,
que as francesas conquistaram,
e que beberam todo o uísque
existente no Brasil
(agora dormem embriagados),
espreito os carros que passam
com choferes que não suspeitam
de minha brancura e fogem.
Os tímidos guardas-civis,
coitados! um quis me prender.
Abri-lhe os braços... Incrédulo,
me apalpou. Não tinha carne
e por cima do vestido
e por baixo do vestido
era a mesma ausência branca,
um só desespero branco...
Podeis ver: o que era corpo
foi comido pelo gato.

As moças que ainda estão vivas
(hão de morrer, ficai certos)
têm medo que eu apareça
e lhes puxe a perna... Engano.
Eu fui moça, serei moça
deserta, *per omnia saecula*.
Não quero saber de moças.
Mas os moços me perturbam.
Não sei como libertar-me.

Se o fantasma não sofresse,
se eles ainda me gostassem
e o espiritismo consentisse,
mas eu sei que é proibido,
vós sois carne, eu sou vapor.
Um vapor que se dissolve
quando o sol rompe na Serra.

Agora estou consolada,
disse tudo que queria,
subirei àquela nuvem,
serei lâmina gelada,
cintilarei sobre os homens.
Meu reflexo na piscina
da Avenida Paraúna
(estrelas não se compreendem),
ninguém o compreenderá.

TRISTEZA DO IMPÉRIO

Os conselheiros angustiados
ante o colo ebúrneo
das donzelas opulentas
que ao piano abemolavam
"bus-co a cam-pi-na se-re-na
pa-ra li-vre sus-pi-rar"
esqueciam a guerra do Paraguai,
o enfado bolorento de São Cristóvão,
a dor cada vez mais forte dos negros
e, sorvendo mecânicos
uma pitada de rapé,
sonhavam a futura libertação dos instintos
e ninhos de amor a serem instalados nos arranha-céus de Copacabana,
                            [com rádio e telefone automático.

O OPERÁRIO NO MAR

Na rua passa um operário. Como vai firme! Não tem blusa. No conto, no drama, no discurso político, a dor do operário está na sua blusa azul, de pano grosso, nas mãos grossas, nos pés enormes, nos desconfortos enormes. Esse é um homem comum, apenas mais escuro que os outros, e com uma significação estranha no corpo, que carrega desígnios e segredos. Para onde vai ele, pisando assim tão firme? Não sei. A fábrica ficou lá atrás. Adiante é só o campo, com algumas árvores, o grande anúncio de gasolina americana e os fios, os fios, os fios. O operário não lhe sobra tempo de perceber que eles levam e trazem mensagens, que contam da Rússia, do Araguaia, dos Estados Unidos. Não ouve, na Câmara dos Deputados, o líder oposicionista vociferando. Caminha no campo e apenas repara que ali corre água, que mais adiante faz calor. Para onde vai o operário? Teria vergonha de chamá-lo meu irmão. Ele sabe que não é, nunca foi meu irmão, que não nos entenderemos nunca. E me despreza... Ou talvez seja eu próprio que me despreze a seus olhos. Tenho vergonha e vontade de encará-lo; uma fascinação quase me obriga a pular a janela, a cair em frente dele, sustar-lhe a marcha, pelo menos implorar-lhe que suste a marcha. Agora está caminhando no mar. Eu pensava que isso fosse privilégio de alguns santos e de navios. Mas não há nenhuma santidade no operário, e não vejo rodas nem hélices no seu corpo, aparentemente banal. Sinto que o mar se acovardou e deixou-o passar. Onde estão nossos exércitos que não impediram o milagre? Mas agora vejo que o operário está cansado e que se molhou, não muito, mas se molhou, e peixes escorrem de suas mãos. Vejo-o que se volta e me dirige um sorriso úmido. A palidez e confusão do seu rosto são a própria tarde que se decompõe. Daqui a um minuto será noite e estaremos irremediavelmente separados pelas circunstâncias atmosféricas, eu em terra firme, ele no meio do mar. Único e precário agente de ligação entre nós, seu sorriso cada vez mais frio atravessa as grandes massas líquidas, choca-se contra as formações salinas, as fortalezas da costa, as medusas, atravessa tudo e vem beijar-me o rosto, trazer-me uma esperança de compreensão. Sim, quem sabe se um dia o compreenderei?

MENINO CHORANDO NA NOITE

Na noite lenta e morna, morta noite sem ruído, um menino chora.
O choro atrás da parede, a luz atrás da vidraça
perdem-se na sombra dos passos abafados, das vozes extenuadas.
E no entanto se ouve até o rumor da gota de remédio caindo na colher.
Um menino chora na noite, atrás da parede, atrás da rua,
longe um menino chora, em outra cidade talvez,
talvez em outro mundo.

E vejo a mão que levanta a colher, enquanto a outra sustenta a cabeça
e vejo o fio oleoso que escorre pelo queixo do menino,
escorre pela rua, escorre pela cidade (um fio apenas).
E não há ninguém mais no mundo a não ser esse menino chorando.

MORRO DA BABILÔNIA

À noite, do morro
descem vozes que criam o terror
(terror urbano, cinquenta por cento de cinema,
e o resto que veio de Luanda ou se perdeu na língua geral).
Quando houve revolução, os soldados se espalharam no morro,
o quartel pegou fogo, eles não voltaram.
Alguns, chumbados, morreram.
Às vezes a gente esbarra com um corpo irreconhecível.
O morro ficou mais encantado.

Mas as vozes do morro
não são propriamente lúgubres.
Há mesmo um cavaquinho bem afinado
que domina os ruídos da pedra e da folhagem
e desce até nós, modesto e recreativo,
como uma gentileza do morro.

CONGRESSO INTERNACIONAL DO MEDO

Provisoriamente não cantaremos o amor,
que se refugiou mais abaixo dos subterrâneos.
Cantaremos o medo, que esteriliza os abraços,
não cantaremos o ódio porque este não existe,
existe apenas o medo, nosso pai e nosso companheiro,
o medo grande dos sertões, dos mares, dos desertos,
o medo dos soldados, o medo das mães, o medo das igrejas,
cantaremos o medo dos ditadores, o medo dos democratas,
cantaremos o medo da morte e o medo de depois da morte,
depois morreremos de medo
e sobre nossos túmulos nascerão flores amarelas e medrosas.

OS MORTOS DE SOBRECASACA

Havia a um canto da sala um álbum de fotografias intoleráveis,
alto de muitos metros e velho de infinitos minutos,
em que todos se debruçavam
na alegria de zombar dos mortos de sobrecasaca.

Um verme principiou a roer as sobrecasacas indiferentes
e roeu as páginas, as dedicatórias e mesmo a poeira dos retratos.
Só não roeu o imortal soluço de vida que rebentava
que rebentava daquelas páginas.

BRINDE NO JUÍZO FINAL

Poetas de camiseiro, chegou vossa hora,
poetas de elixir de inhame e de tonofosfan,
chegou vossa hora, poetas do bonde e do rádio,
poetas jamais acadêmicos, último ouro do Brasil.

Em vão assassinaram a poesia nos livros,
em vão houve *putschs*, tropas de assalto, depurações.
Os sobreviventes aqui estão, poetas honrados,
poetas diretos da Rua Larga.
(As outras ruas são muito estreitas,
só nesta cabem a poeira,
o amor
e a Light.)

PRIVILÉGIO DO MAR

Neste terraço mediocremente confortável,
bebemos cerveja e olhamos o mar.
Sabemos que nada nos acontecerá.

O edifício é sólido e o mundo também.

Sabemos que cada edifício abriga mil corpos
labutando em mil compartimentos iguais.
Às vezes, alguns se inserem fatigados no elevador
e vêm cá em cima respirar a brisa do oceano,
o que é privilégio dos edifícios.

O mundo é mesmo de cimento armado.

Certamente, se houvesse um cruzador louco,
fundeado na baía em frente da cidade,
a vida seria incerta... improvável...
Mas nas águas tranquilas só há marinheiros fiéis.
Como a esquadra é cordial!

Podemos beber honradamente nossa cerveja.

INOCENTES DO LEBLON

Os inocentes do Leblon
não viram o navio entrar.
Trouxe bailarinas?
trouxe emigrantes?
trouxe um grama de rádio?
Os inocentes, definitivamente inocentes, tudo ignoram,
mas a areia é quente, e há um óleo suave
que eles passam nas costas, e esquecem.

CANÇÃO DE BERÇO

O amor não tem importância.
No tempo de você, criança,
uma simples gota de óleo
povoará o mundo por inoculação,
e o espasmo
(longo demais para ser feliz)
não mais dissolverá as nossas carnes.

Mas também a carne não tem importância.
E doer, gozar, o próprio cântico afinal é indiferente.
Quinhentos mil chineses mortos, trezentos corpos de namorados
                                        [sobre a via férrea
e o trem que passa, como um discurso, irreparável:
tudo acontece, menina,
e não é importante, menina,
e nada fica nos teus olhos.

Também a vida é sem importância.
Os homens não me repetem
nem me prolongo até eles.
A vida é tênue, tênue.
O grito mais alto ainda é suspiro,
os oceanos calaram-se há muito.
Em tua boca, menina,
ficou o gosto de leite?
ficará o gosto de álcool?

Os beijos não são importantes.
No teu tempo nem haverá beijos.
Os lábios serão metálicos,
civil, e mais nada, será o amor
dos indivíduos perdidos na massa
e só uma estrela
guardará o reflexo
do mundo esvaído
(aliás sem importância).

INDECISÃO DO MÉIER

Teus dois cinemas, um ao pé do outro, por que não se afastam
para não criar, todas as noites, o problema da opção
e evitar a humilde perplexidade dos moradores?
Ambos com a melhor artista e a bilheteira mais bela,
que tortura lançam no Méier!

BOLERO DE RAVEL

A alma cativa e obcecada
enrola-se infinitamente numa espiral de desejo
e melancolia.
Infinita, infinitamente...
As mãos não tocam jamais o aéreo objeto,
esquiva ondulação evanescente.
Os olhos, magnetizados, escutam
e no círculo ardente nossa vida para sempre está presa,
está presa...
Os tambores abafam a morte do Imperador.

LA POSSESSION DU MONDE

Os homens célebres visitam a cidade.
Obrigatoriamente exaltam a paisagem.
Alguns se arriscam no Mangue,
outros se limitam ao Pão de Açúcar,
mas somente Georges Duhamel
passou a manhã inteira no meu quintal.
Ou antes, no quintal vizinho do meu quintal.

Sentado na pedra, espiando os mamoeiros,
conversava com o eminente neurologista.

Houve uma hora em que ele se levantou
(em meio a erudita dissertação científica).
Ia, talvez, confiar a mensagem da Europa
aos corações cativos da jovem América...
Mas apontou apenas para a vertical
e pediu *ce cocasse fruit jaune*.

ODE NO CINQUENTENÁRIO DO POETA BRASILEIRO

Esse incessante morrer
que nos teus versos encontro
é tua vida, poeta,
e por ele te comunicas
com o mundo em que te esvais.

Debruço-me em teus poemas
e neles percebo as ilhas
em que nem tu nem nós habitamos
(ou jamais habitaremos!)
e nessas ilhas me banho
num sol que não é dos trópicos,
numa água que não é das fontes
mas que ambos refletem a imagem
de um mundo amoroso e patético.

Tua violenta ternura,
tua infinita polícia,
tua trágica existência
no entanto sem nenhum sulco
exterior – salvo tuas rugas,
tua gravidade simples,
a acidez e o carinho simples
que desbordam em teus retratos,
que capturo em teus poemas,
são razões por que te amamos
e por que nos fazes sofrer...

Certamente não sabias
que nos fazes sofrer.

É difícil de explicar
esse sofrimento seco,
sem qualquer lágrima de amor,
sentimento de homens juntos,
que se comunicam sem gesto
e sem palavras se invadem,
se aproximam, se compreendem
e se calam sem orgulho.

Não é o canto da andorinha, debruçada nos telhados da Lapa,
anunciando que tua vida passou à toa, à toa.
Não é o médico mandando exclusivamente tocar um tango argentino,
diante da escavação no pulmão esquerdo e do pulmão direito
                                              [infiltrado.
Não são os carvoeirinhos raquíticos voltando encarapitados nos
                                              [burros velhos.
Não são os mortos do Recife dormindo profundamente na noite.
Nem é tua vida, nem a vida do major veterano da guerra do Paraguai,
a de Bentinho Jararaca
ou a de Christina Georgina Rossetti:
és tu mesmo, é tua poesia,
tua pungente, inefável poesia,
ferindo as almas, sob a aparência balsâmica,
queimando as almas, fogo celeste, ao visitá-las;
é o fenômeno poético, de que te constituíste o misterioso portador
e que vem trazer-nos na aurora o sopro quente dos mundos, das
           [amadas exuberantes e das situações exemplares que
           [não suspeitávamos.

Por isto sofremos: pela mensagem que nos confias
entre ônibus, abafada pelo pregão dos jornais e mil queixas operárias;
essa insistente mas discreta mensagem
que, aos cinquenta anos, poeta, nos trazes;
e essa fidelidade a ti mesmo com que nos apareces
sem uma queixa no rosto entretanto experiente,
mão firme estendida para o aperto fraterno
– o poeta acima da guerra e do ódio entre os homens –,
o poeta ainda capaz de amar Esmeralda embora a alma anoiteça,
o poeta melhor que nós todos, o poeta mais forte
– mas haverá lugar para a poesia?

Efetivamente o poeta Rimbaud fartou-se de escrever,
o poeta Maiakovski suicidou-se,
o poeta Schmidt abastece de água o Distrito Federal...
Em meio a palavras melancólicas,
ouve-se o surdo rumor de combates longínquos
(cada vez mais perto, mais, daqui a pouco dentro de nós).
E enquanto homens suspiram, combatem ou simplesmente ganham
                                                 [dinheiro,
ninguém percebe que o poeta faz cinquenta anos,
que o poeta permaneceu o mesmo, embora alguma coisa de
                         [extraordinário se houvesse passado,
alguma coisa encoberta de nós, que nem os olhos traíram nem as
                                       [mãos apalparam,
susto, emoção, enternecimento,
desejo de dizer: Emanuel, disfarçado na meiguice elástica dos abraços,
e uma confiança maior no poeta e um pedido lancinante para que
                         [não nos deixe sozinhos nesta cidade
em que nos sentimos pequenos à espera dos maiores acontecimentos.

Que o poeta nos encaminhe e nos proteja
e que o seu canto confidencial ressoe para consolo de muitos e
                                                                       [esperança de todos,
os delicados e os oprimidos, acima das profissões e dos vãos disfarces
                                                                                      [do homem.
Que o poeta Manuel Bandeira escute este apelo de um homem
                                                                                        [humilde.

OS OMBROS SUPORTAM O MUNDO

Chega um tempo em que não se diz mais: meu Deus.
Tempo de absoluta depuração.
Tempo em que não se diz mais: meu amor.
Porque o amor resultou inútil.
E os olhos não choram.
E as mãos tecem apenas o rude trabalho.
E o coração está seco.

Em vão mulheres batem à porta, não abrirás.
Ficaste sozinho, a luz apagou-se,
mas na sombra teus olhos resplandecem enormes.
És todo certeza, já não sabes sofrer.
E nada esperas de teus amigos.

Pouco importa venha a velhice, que é a velhice?
Teus ombros suportam o mundo
e ele não pesa mais que a mão de uma criança.
As guerras, as fomes, as discussões dentro dos edifícios
provam apenas que a vida prossegue
e nem todos se libertaram ainda.
Alguns, achando bárbaro o espetáculo,
prefeririam (os delicados) morrer.
Chegou um tempo em que não adianta morrer.
Chegou um tempo em que a vida é uma ordem.
A vida apenas, sem mistificação.

MÃOS DADAS

Não serei o poeta de um mundo caduco.
Também não cantarei o mundo futuro.
Estou preso à vida e olho meus companheiros.
Estão taciturnos mas nutrem grandes esperanças.
Entre eles, considero a enorme realidade.
O presente é tão grande, não nos afastemos.
Não nos afastemos muito, vamos de mãos dadas.

Não serei o cantor de uma mulher, de uma história,
não direi os suspiros ao anoitecer, a paisagem vista da janela,
não distribuirei entorpecentes ou cartas de suicida,
não fugirei para as ilhas nem serei raptado por serafins.
O tempo é a minha matéria, o tempo presente, os homens presentes,
a vida presente.

DENTADURAS DUPLAS

A Onestaldo de Pennafort

Dentaduras duplas!
Inda não sou bem velho
para merecer-vos...
Há que contentar-me
com uma ponte móvel
e esparsas coroas.
(Coroas sem reino,
os reinos protéticos
de onde proviestes
quando produzirão
a tripla dentadura,
dentadura múltipla,
a serra mecânica,
sempre desejada,
jamais possuída,
que acabará
com o tédio da boca,
a boca que beija,
a boca romântica?...)

Resovin! Hecolite!
Nomes de países?
Fantasmas femininos?
Nunca: dentaduras,
engenhos modernos,

práticos, higiênicos,
a vida habitável:
a boca mordendo,
os delirantes lábios
apenas entreabertos
num sorriso técnico,
e a língua especiosa
através dos dentes
buscando outra língua,
afinal sossegada...
A serra mecânica
não tritura amor.
E todos os dentes
extraídos sem dor.
E a boca liberta
das funções poético-
-sofístico-dramáticas
de que rezam filmes
e velhos autores.

Dentaduras duplas:
dai-me enfim a calma
que Bilac não teve
para envelhecer.
Desfibrarei convosco
doces alimentos,
serei casto, sóbrio,
não vos aplicando
na deleitação convulsa
de uma carne triste
em que tantas vezes
me eu perdi.

Largas dentaduras,
vosso riso largo
me consolará
não sei quantas fomes
ferozes, secretas
no fundo de mim.
Não sei quantas fomes
jamais compensadas.
Dentaduras alvas,
antes amarelas
e por que não cromadas
e por que não de âmbar?
de âmbar! de âmbar!
feéricas dentaduras,
admiráveis presas,
mastigando lestas
e indiferentes
a carne da vida!

REVELAÇÃO DO SUBÚRBIO

Quando vou para Minas, gosto de ficar de pé, contra a vidraça do carro,
vendo o subúrbio passar.
O subúrbio todo se condensa para ser visto depressa,
com medo de não repararmos suficientemente
em suas luzes que mal têm tempo de brilhar.
A noite come o subúrbio e logo o devolve,
ele reage, luta, se esforça,
até que vem o campo onde pela manhã repontam laranjais
e à noite só existe a tristeza do Brasil.

A NOITE DISSOLVE OS HOMENS

A Portinari

A noite desceu. Que noite!
Já não enxergo meus irmãos.
E nem tampouco os rumores
que outrora me perturbavam.
A noite desceu. Nas casas,
nas ruas onde se combate,
nos campos desfalecidos,
a noite espalhou o medo
e a total incompreensão.
A noite caiu. Tremenda,
sem esperança... Os suspiros
acusam a presença negra
que paralisa os guerreiros.
E o amor não abre caminho
na noite. A noite é mortal,
completa, sem reticências,
a noite dissolve os homens,
diz que é inútil sofrer,
a noite dissolve as pátrias,
apagou os almirantes
cintilantes! nas suas fardas.
A noite anoiteceu tudo...
O mundo não tem remédio...
Os suicidas tinham razão.

Aurora,
entretanto eu te diviso, ainda tímida,
inexperiente das luzes que vais acender
e dos bens que repartirás com todos os homens.
Sob o úmido véu de raivas, queixas e humilhações,
adivinho-te que sobes, vapor róseo, expulsando a treva noturna.
O triste mundo fascista se decompõe ao contato de teus dedos,
teus dedos frios, que ainda se não modelaram
mas que avançam na escuridão como um sinal verde e peremptório.
Minha fadiga encontrará em ti o seu termo,
minha carne estremece na certeza de tua vinda.
O suor é um óleo suave, as mãos dos sobreviventes se enlaçam,
os corpos hirtos adquirem uma fluidez,
uma inocência, um perdão simples e macio...
Havemos de amanhecer. O mundo
se tinge com as tintas da antemanhã
e o sangue que escorre é doce, de tão necessário
para colorir tuas pálidas faces, aurora.

MADRIGAL LÚGUBRE

Em vossa casa feita de cadáveres,
ó princesa! ó donzela!
em vossa casa, de onde o sangue escorre,
quisera eu morar.

Cá fora é o vento e são as ruas varridas de pânico,
é o jornal sujo embrulhando fatos, homens e comida guardada.
Dentro, vossas mãos níveas e mecânicas tecem algo parecido com
                                                                             [um véu.
O mundo, sob a neblina que criais, torna-se de tal modo espantoso
que o vosso sono de mil anos se interrompe para admirá-lo.

Princesa: acordada sois mais bela, princesa.
E já não tendes o ar contrariado dos mortos à traição.
Arrastar-me-ei pelo morro e chegarei até vós.
Tão completo desprezo se transmudará em tanto amor...
Dai-me vossa cama, princesa,
vosso calor, vosso corpo e suas repartições,
oh dai-me! que é tempo de guerra,
tempo de extrema precisão.

Não vos direi dos meninos mortos
(nem todos mortos, é verdade,
alguns, apenas mutilados).
Tampouco vos contarei a história
algo monótona talvez
dos mil e oitocentos atropelados

no casamento do rei da Ásia.
Algo monótono... Ásia monótona...
Se bocejardes, minha cabeça
cairá por terra, sem remissão.

Sutil flui o sangue nas escadarias.
Ah, esses cadáveres não deixam
conciliar o sono, princesa?
Mas o corpo dorme; dorme assim mesmo.
Imensa *berceuse* sobe dos mares,
desce dos astros lento acalanto,
leves narcóticos brotam da sombra,
doces unguentos, calmos incensos.
Princesa, os mortos! gritam os mortos!
querem sair! querem romper!
Tocai tambores, tocai trombetas,
imponde silêncio, enquanto fugimos!

... Enquanto fugimos para outros mundos,
que esse está velho, velha princesa,
palácio em ruínas, ervas crescendo,
lagarta mole que escreves a história,
escreve sem pressa mais esta história:
o chão está verde de lagartas mortas...
Adeus, princesa, até outra vida.

LEMBRANÇA DO MUNDO ANTIGO

Clara passeava no jardim com as crianças.
O céu era verde sobre o gramado,
a água era dourada sob as pontes,
outros elementos eram azuis, róseos, alaranjados,
o guarda-civil sorria, passavam bicicletas,
a menina pisou a relva para pegar um pássaro,
o mundo inteiro, a Alemanha, a China, tudo era tranquilo em redor
                                                                       [de Clara.

As crianças olhavam para o céu: não era proibido.
A boca, o nariz, os olhos estavam abertos. Não havia perigo.
Os perigos que Clara temia eram a gripe, o calor, os insetos.
Clara tinha medo de perder o bonde das 11 horas,
esperava cartas que custavam a chegar,
nem sempre podia usar vestido novo. Mas passeava no jardim, pela
                                                                       [manhã!!!
Havia jardins, havia manhãs naquele tempo!!!

ELEGIA 1938

Trabalhas sem alegria para um mundo caduco,
onde as formas e as ações não encerram nenhum exemplo.
Praticas laboriosamente os gestos universais,
sentes calor e frio, falta de dinheiro, fome e desejo sexual.

Heróis enchem os parques da cidade em que te arrastas,
e preconizam a virtude, a renúncia, o sangue-frio, a concepção.
À noite, se neblina, abrem guarda-chuvas de bronze
ou se recolhem aos volumes de sinistras bibliotecas.

Amas a noite pelo poder de aniquilamento que encerra
e sabes que, dormindo, os problemas te dispensam de morrer.
Mas o terrível despertar prova a existência da Grande Máquina
e te repõe, pequenino, em face de indecifráveis palmeiras.

Caminhas entre mortos e com eles conversas
sobre coisas do tempo futuro e negócios do espírito.
A literatura estragou tuas melhores horas de amor.
Ao telefone perdeste muito, muitíssimo tempo de semear.

Coração orgulhoso, tens pressa de confessar tua derrota
e adiar para outro século a felicidade coletiva.
Aceitas a chuva, a guerra, o desemprego e a injusta distribuição
porque não podes, sozinho, dinamitar a ilha de Manhattan.

MUNDO GRANDE

Não, meu coração não é maior que o mundo.
É muito menor.
Nele não cabem nem as minhas dores.
Por isso gosto tanto de me contar.
Por isso me dispo,
por isso me grito,
por isso frequento os jornais, me exponho cruamente nas livrarias:
preciso de todos.

Sim, meu coração é muito pequeno.
Só agora vejo que nele não cabem os homens.
Os homens estão cá fora, estão na rua.
A rua é enorme. Maior, muito maior do que eu esperava.
Mas também a rua não cabe todos os homens.
A rua é menor que o mundo.
O mundo é grande.

Tu sabes como é grande o mundo.
Conheces os navios que levam petróleo e livros, carne e algodão.
Viste as diferentes cores dos homens,
as diferentes dores dos homens,
sabes como é difícil sofrer tudo isso, amontoar tudo isso
num só peito de homem... sem que ele estale.

Fecha os olhos e esquece.
Escuta a água nos vidros,
tão calma. Não anuncia nada.

Entretanto escorre nas mãos,
tão calma! vai inundando tudo...
Renascerão as cidades submersas?
Os homens submersos – voltarão?

Meu coração não sabe.
Estúpido, ridículo e frágil é meu coração.
Só agora descubro
como é triste ignorar certas coisas.
(Na solidão de indivíduo
desaprendi a linguagem
com que homens se comunicam.)

Outrora escutei os anjos,
as sonatas, os poemas, as confissões patéticas.
Nunca escutei voz de gente.
Em verdade sou muito pobre.

Outrora viajei
países imaginários, fáceis de habitar,
ilhas sem problemas, não obstante exaustivas e convocando ao
[suicídio.
Meus amigos foram às ilhas.
Ilhas perdem o homem.
Entretanto alguns se salvaram e
trouxeram a notícia
de que o mundo, o grande mundo está crescendo todos os dias,
entre o fogo e o amor.

Então, meu coração também pode crescer.
Entre o amor e o fogo,
entre a vida e o fogo,
meu coração cresce dez metros e explode.
— Ó vida futura! nós te criaremos.

NOTURNO À JANELA DO APARTAMENTO

Silencioso cubo de treva:
um salto, e seria a morte.
Mas é apenas, sob o vento,
a integração na noite.

Nenhum pensamento de infância,
nem saudade nem vão propósito.
Somente a contemplação
de um mundo enorme e parado.

A soma da vida é nula.
Mas a vida tem tal poder:
na escuridão absoluta,
como líquido, circula.

Suicídio, riqueza, ciência...
A alma severa se interroga
e logo se cala. E não sabe
se é noite, mar ou distância.

Triste farol da Ilha Rasa.

POSFÁCIO
O SENTIMENTO DO MUNDO
POR AILTON KRENAK

Você conhece a obra do Drummond?, me perguntam amigos próximos...

"Não deixe, Ministro, que os yanomamis sejam explorados mais uma vez", escreve o poeta em sua crônica de jornal em 1980.[1] Portanto, para mim a conversa com Drummond se dá como num terreiro de macumba. Uma espécie de *Avatar*, que rasga o véu revelando um estranho mundo onde as pessoas fazem de tudo por um punhado de moedas.

Só depois de chegar aos 20 anos é que fui ler a nossa literatura brasileira, e Drummond aparece nesse horizonte como ilha de reconhecimento, possibilidades de identificação com a maneira como o poeta estranha o mundo.

O poeta, em sua vastíssima obra, estranha o modo de operar desse mundo, o humano em choque com a vida. Eu invoco Drummond como meu escudo invisível, sempre que esse mundo derrapa sob meus pés, pois ele se distingue do tipo de literatura com que tenho contato em geral.

---

1 O yanomami sem sorte. *Jornal do Brasil*, 23 fev. 1980.

"Onde é Brasil?"

Considerando a poética do Drummond, é preciso entender essa pergunta como metafísica. O poeta já colocava em questão a narrativa de que existia um lugar na América do Sul destinado a se chamar Brasil. Ele questionou também a invenção colonial desse lugar. Se Drummond perguntava "onde é Brasil?",[2] ele podia estar lançando uma pergunta ao espaço, inclusive em busca de uma resposta social a esse lugar, que seriam "os brasileiros". Quer dizer, além de você inventar um lugar, você ainda produz uma ideia de povo que vai constituir essa parte da humanidade.

Eu fico muito feliz de poder comentar essa expressão do Drummond, porque eu nunca acreditei que exista um lugar correspondente à ideia de Brasil. E, menos ainda, que esse punhado de gente, que veio de todos os lugares do mundo, colonizados nesse território, tenha se constituído como "os brasileiros". Eu penso que a gente há muito tempo vive em um vasto acampamento, ao qual cada vez mais chega gente de fora, com desejos muito diversos uns dos outros, como que indicando que o Brasil é uma invenção, e os brasileiros são uma ficção sociológica.

Em sua longa jornada, toda a poesia e as crônicas que o poeta nos dá querem acordar os homens e convocar outros sonhos, outros mundos para além da fúria devoradora de montanhas.

O destino nos deu o presente de sentirmos as montanhas como extensão de nosso corpo, cada um na sua pedra, ferro e aço. Um vale que foi desde muito, muito tempo mesmo, o lar de um povo selvagem, minha aldeia dos antigos Botocudos, e sua Itabira. O Pico do Cauê, que nem pode mais testemunhar nada. Cratera não fala, diria o poeta. Já teve outros nomes esse vale de lágrimas, antes de sofrer a ofensa do epíteto Vale do Aço. Florestas do rio Doce, evocando

---

2 Um verso do poema "A palavra e a terra", em *Lição de coisas*.

um mundo com todas as possibilidades imaginárias, entre vales e montanhas povoados de seres da mata atlântica e do cerrado, aves e peixes e todos os tipos de árvores gigantes. Um mundo possível para além de calçadas de pedra, ferro nas almas, como denuncia o poeta itabirano. Invocar Drummond como escudo invisível é algo cotidiano para mim, que sinto a dor do rio e suporto, nas minhas "retinas tão fatigadas",[3] o incessante vaivém da pesadíssima máquina de comer mundos. Uma montanha rochosa que avisto, daqui do terreiro desta aldeia crenaque, testemunha a passagem do maior trem do mundo, levando as montanhas para ver – ou "só para te ver?"[4] – o outro lado do Atlântico, e nada deixando atrás de seu ruidoso trilho. Lá vai o trem da vida, diz o mineiro indefeso ante avalanches de lama e marianas e brumadinhos a perder de vista.

Invocando o escudo invisível, contemplo o Takrukrak – montanha de pedra com pontas pro alto do céu –, e daqui somos a pedra no meio do caminho.

O astronauta de Palenque

O poeta profetiza um futuro imediato, em visionário alerta sobre o que veríamos em duas ou três gerações, se tanto. Ainda no poema "O homem; as viagens", do livro *As impurezas do branco*, Drummond fala da fúria do *Homo sapiens* em comer mundos, essa espécie que, minúscula e insatisfeita com a vida aqui na Terra, faz um foguete e... cria roupas "insideráveis". Esse Drummond que inventa palavras para dizer o mundo, cosmonauta de mundos possíveis, vê a maquinação do mundo em frente e verso, como moeda perecível e podre. Foi ouvindo sua récita em viva voz – prazer possível a todos, pois está

---

[3] Parte de um verso do poema "No meio do caminho", em *Alguma poesia*.
[4] Do poema "O homem; as viagens", em *As impurezas do branco*.

disponível na web – que despertei para a pergunta: "O *que* somos?" Se há muito é feita a pergunta "quem somos nós, os humanos", pode ser já o tempo de inquirir "o quê?".

Fui encontrar no registro arqueológico da antiga Palenque, no México, uma pista para a investigação. Cerca de 730 anos antes da chegada dos europeus à região, onde maias e astecas ergueram civilizações avançadas, ergueu-se o bloco de pedra com a imagem esculpida de um foguete, nave em tudo idêntica a uma Apolo 11, com seu piloto instalado e pronto para decolagem rumo ao espaço. A placa que sinaliza o túmulo do rei de Palenque, tampa da lápide que honra a memória deste importante senhor das galáxias, me animou a pensar: pode muito bem ser que aquilo a que chamamos de humanidade carregue, em si, um defeito de fabricação. É impressionante a imagem na pedra, registrando com esmero e arte os detalhes do interior da nave; o módulo encapsulando o corpo humano, os instrumentos de voo, de comunicação, e tudo que um foguete da Nasa possui nas viagens modernas. Uma antecipação dessa aventura orgulhosa, de bilionários que fazem voos particulares em torno da órbita da Terra, com o projeto de implantar um assentamento humano em Marte.

O poeta antecipa o futuro triste, de uma espécie nanica e ruidosa, com seu "O homem; as viagens":

O homem, bicho da Terra tão pequeno
chateia-se na Terra
lugar de muita miséria e pouca diversão, faz
um foguete, uma cápsula, um módulo
toca para a Lua
desce cauteloso na Lua
pisa na Lua
planta bandeirola na Lua

experimenta a Lua
coloniza a Lua
civiliza a Lua
humaniza a Lua.
Lua humanizada: tão igual à Terra.
O homem chateia-se na Lua.
Vamos para Marte – ordena a suas máquinas.
Elas obedecem, o homem desce em Marte
pisa em Marte
experimenta
coloniza
civiliza
humaniza Marte com engenho e arte.
[...]

Segue a viagem. O poeta continua assistindo ao desencontro de espírito deste *Homo sapiens*, que, sendo "bicho da Terra tão pequeno", "funde a cuca se não for a Júpiter / proclamar justiça junto com injustiça / [...] / repetir o inquieto / repetitório", e assim evita de toda maneira fazer a única e definitiva viagem, pois:

[...]
só resta ao homem
(estará equipado?)
a dificílima dangerosíssima viagem
de si a si mesmo:
pôr o pé no chão
do seu coração
experimentar
colonizar
civilizar
humanizar
o homem

descobrindo em suas próprias inexploradas entranhas
a perene, insuspeitada alegria
de con-viver.

Drummond caminha entre nós, com suas palavras gentis e gestos de indizível graça, como se evitasse fazer algum desnecessário ruído.

CRONOLOGIA
NA ÉPOCA DO LANÇAMENTO
(1937-1943)

1937

CDA:

– Colabora na *Revista Acadêmica* (RJ), sob a direção do intelectual modernista e editor Murilo Miranda.

Literatura brasileira:

– Murilo Mendes lança o livro de poemas *A poesia em pânico*.
– O poeta Manoel de Barros estreia com o livro *Poemas concebidos sem pecado*.
– Jorge Amado publica *Capitães da areia*.
– José Lins do Rego publica o romance *Pureza*.

Vida nacional:

– Ligado ao Ministério da Educação, cria-se o Serviço do Patrimônio Histórico e Artístico Nacional (SPHAN), sob a direção de Rodrigo Melo Franco de Andrade.
– Criação do Museu Nacional de Belas Artes, no Rio de Janeiro.
– Criação da União Nacional dos Estudantes (UNE).
– Criação da Rádio Tupi de São Paulo.
– Falece o cantor Noel Rosa, em 4 de maio.

– Rachel de Queiroz e Jorge Amado são presos, acusados de subversão.

– Golpe de Estado fecha o Congresso Nacional, extingue os partidos políticos, cria nova Constituição e decreta o Estado Novo.

Mundo:

– A carta encíclica *Divini redemptoris,* do papa Pio XI, condena o comunismo.

– A Guerra Civil Espanhola se alastra; a cidade de Guernica é bombardeada.

– Irlanda promulga sua Constituição e não reconhece mais a soberania da Inglaterra.

1938

CDA:

– Escreve o poema "Elegia 1938", depois incluído em *Sentimento do mundo*.

Literatura brasileira:

– Jorge de Lima publica o livro de poemas *A túnica inconsútil*.
– Vinicius de Moraes publica *Novos poemas*.
– Graciliano Ramos publica o clássico romance *Vidas secas*.
– José Lins do Rego publica o romance *Pedra Bonita*.

Vida nacional:

– Criação do Conselho Nacional do Petróleo.
– Lampião e seus cangaceiros são mortos num combate com a polícia, em Angicos, Sergipe.
– Fundação do Hospital Estadual Getúlio Vargas, no Rio de Janeiro.

Mundo:

– China e Japão rompem relações diplomáticas.
– Nazistas assumem o comando supremo das Forças Armadas na Alemanha e enviam 35 mil judeus para campos de concentração.
– Barcelona é bombardeada durante a Guerra Civil Espanhola. O Vaticano reconhece o governo fascista do general Francisco Franco.

1939

CDA:

– Em 1º de setembro, dia que marca o início da Segunda Guerra Mundial, Paulo Rónai publica, na Hungria, uma antologia intitulada *Mensagem do Brasil*, com versões traduzidas de vários poemas brasileiros, entre eles "No meio do caminho". Anos depois, em entrevista, Paulo Rónai conta que, informado do lançamento do livro pela embaixada brasileira em Budapeste, o jornal *Correio da Manhã* teria comentado em uma nota: "Enquanto a guerra toma quase todos os espaços na Hungria, um maluco de Budapeste está traduzindo poesia brasileira."

Literatura brasileira:

– Cecília Meireles publica o livro de poemas *Viagem*.
– José Lins do Rego publica o romance *Riacho Doce*.

Vida nacional:

– Primeira transmissão de TV no Rio de Janeiro.
– Carmen Miranda interpreta a canção "O que é que a baiana tem", de Dorival Caymmi, no filme *Banana da terra* e estreia na Broadway no espetáculo *Streets of Paris*.
– Brasil declara neutralidade na Segunda Guerra Mundial.

Mundo:

– Hitler determina o extermínio dos judeus.
– Fim da Guerra Civil Espanhola, com a vitória do ditador Franco.
– Tem início a Segunda Guerra Mundial, com a Polônia sendo invadida pela Alemanha. Inglaterra e França lideram a luta contra o regime nazista.
– Greta Garbo, uma das atrizes favoritas de Drummond, estrela o famoso filme *Ninotchka*, dirigido por Ernst Lubitsch. "Quando estiverem completamente sem assunto, escrevam sobre Greta Garbo" (da crônica "O fenômeno Greta Garbo", publicada no jornal *Minas Gerais* em 18 de maio de 1930).

1940

CDA:

– Publica *Sentimento do mundo*, numa pequena edição de 150 exemplares, que circula fora das livrarias e a salvo dos órgãos de repressão. O livro chega a São Paulo. Em seguida, sai a edição publicada pela Editora Pongetti.

Literatura brasileira:

– O poeta Mário Quintana estreia na literatura, com o livro *A rua dos cataventos*.
– Manuel Bandeira publica o livro de poemas *Lira dos cinquent'anos*.

Vida nacional:

– Criação do salário mínimo e do imposto sindical pelo governo Vargas.
– Como parte de sua política externa pendular, Getúlio Vargas, em discurso proferido a bordo do encouraçado *Minas Gerais*, no dia 11 de junho, referindo-se ao fascismo, elogia "as nações fortes que se impõem pela organização baseada no sentimento da Pátria e sustentando-se na convicção da própria superioridade".

Mundo:

– A Segunda Guerra Mundial se alastra com a invasão de Holanda, Bélgica, França, Dinamarca e Luxemburgo pelas tropas alemãs.
– Winston Churchill é nomeado primeiro-ministro da Inglaterra.
– Os Estados Unidos adotam o serviço militar obrigatório.
– Londres sofre com os bombardeios das forças nazistas.
– Criação, em Paris, da Resistência Francesa, força paramilitar de combate aos nazistas, em Paris.
– Charles Chaplin, outra referência para Drummond em matéria de cinema, lança a clássica sátira ao nazifascismo *O Grande Ditador*. "Agora é confidencial o teu ensino, / pessoa por pessoa, / ternura por ternura, / e desligado de ti e da rede internacional de cinemas, / o mito cresce." (do poema "A Carlito", em *Lição de coisas*).

1941

CDA:

– Mantém na revista *Euclides*, dirigida por Simões dos Reis, a seção "Conversa de Livraria", assinando-a como "O Observador Literário".
– A *Revista Acadêmica* percebe o alcance do livro *Sentimento do mundo* e consagra um número inteiro ao poeta. Forma-se uma frente literária antifascista, consagrando-o como o maior poeta nacional naquele momento.
– Colabora no suplemento literário do jornal *A Manhã*, dirigido por Múcio Leão e, mais tarde, por Jorge Lacerda.
– Muda-se para a casa da rua Joaquim Nabuco, 81, em Copacabana, onde viverá até 1962.

Literatura brasileira:

– Murilo Mendes lança o livro de poemas *O visionário*.
– José Lins do Rego lança o romance *Água-mãe*.
– Jorge Amado lança a biografia *ABC de Castro Alves*.

Vida nacional:

– Lançamento da revista mensal *Clima*, em São Paulo, fundada por alunos da Faculdade de Filosofia, Ciências e Letras da Universidade de São Paulo, entre eles Antonio Candido e Gilda de Melo e Souza, Paulo Emílio Salles Gomes, Décio de Almeida Prado, entre outros.
– Criação do Ministério da Aeronáutica.
– Construção da Companhia Siderúrgica Nacional (CSN), em Volta Redonda.
– Criação da Justiça do Trabalho, no governo Vargas.

Mundo:

– Alemanha nazista descumpre pacto de não agressão e invade a União Soviética.
– Roosevelt e Churchill assinam a Carta do Atlântico, estabelecendo uma visão pós-Guerra Mundial.
– Stalin assume o comando supremo do Exército Soviético.
– Ho Chi Minh cria a Liga pela Independência do Vietnã.
– Japão realiza ataque surpresa à base americana de Pearl Harbor, no Havaí.
– Proclamação da independência do Líbano.
– China declara guerra ao Japão, Itália e Alemanha.

1942

CDA:

– Publica a coletânea *Poesias* pela Livraria José Olympio Editora. Pela primeira vez, vem a público o famoso poema "José".
– Preside a conferência "O movimento modernista", organizada por Mário de Andrade e realizada na biblioteca do Ministério das Relações Exteriores, no Rio de Janeiro, em comemoração aos vinte anos da Semana de Arte Moderna.
– Recebe carta de João Cabral de Melo Neto, pedindo-lhe um emprego no Rio de Janeiro. Pouco depois o poeta pernambucano foi trabalhar no Departamento de Administração do Serviço Público (DASP).

Literatura brasileira:

– Cecília Meireles publica *Vaga música*.
– Manoel de Barros lança o livro de poemas *Face imóvel*.

– João Cabral de Melo Neto estreia na poesia com *A pedra do sono*.
– Jorge Amado lança a biografia de Luís Carlos Prestes, *O Cavaleiro da Esperança*.
– Graciliano Ramos, Jorge Amado, José Lins do Rego, Aníbal Machado e Rachel de Queiroz lançam o romance *Brandão entre o mar e o amor*, escrito por eles.

Vida nacional:

– Suicídio do escritor austríaco Stefan Zweig e de sua esposa, em Petrópolis.
– Criação da nova moeda, o cruzeiro, em substituição ao mil-réis.
– Criação do Serviço Nacional de Aprendizagem Industrial (Senai).
– Criação do território federal de Fernando de Noronha.
– Criação do Instituto Brasileiro de Opinião Pública (Ibope).
– Fundação da Editora Record, no Rio de Janeiro.
– Criação da empresa estatal Vale do Rio Doce, em Itabira, e início da demolição do Pico do Cauê, contemplado de sua janela quando residia na cidade. "Cada um de nós tem seu pedaço no pico do Cauê. / Na cidade toda de ferro / as ferraduras batem como sinos." (do poema "Itabira", em *Alguma poesia*).
– Entrada do Brasil na Segunda Guerra Mundial contra as forças do Eixo (Alemanha, Itália e Japão).

Mundo:

– Negros voltam a ser aceitos na marinha norte-americana.
– Estados Unidos e Grã-Bretanha intensificam ajuda à União Soviética.
– Projeto Manhattan, liderado pelo governo americano e com apoio da Grã-Bretanha e do Canadá, inicia a fabricação da bomba atômica.

1943

CDA:

– Traduz o livro *Thérèse Desqueyroux*, de François Mauriac, com o título *Uma gota de veneno*, publicado na coleção "As 100 Obras-Primas da Literatura Universal", da Editora Pongetti.

– Propõe, numa reunião da diretoria da Associação Brasileira de Escritores (ABDE), em tom de brincadeira: "Vamos redigir uma declaração afirmando o nosso propósito de não entrar jamais na Academia?" Otávio Tarquínio de Souza redige a declaração, e assinam: Carlos Drummond de Andrade, José Lins do Rego, Astrojildo Pereira, Dinah Silveira de Queiroz, Álvaro Lins, Francisco de Assis Barbosa e Marques Rebelo. Aurélio Buarque de Holanda, secretário da *Revista do Brasil*, abstém-se.

– Roger Bastide, antropólogo francês e, na época, professor da USP, analisa a poesia de Drummond e diz: "Sua visão não é para o alto, mas para baixo... O mundo que ele apresenta é o da terra, das pedras, das calçadas, dos velhos porões de casas. Por isto anda nas ruas de olhos baixos" ("Bouquet de poetas: Carlos Drummond de Andrade", em *Poetas do Brasil*).

– Publica na revista *Leitura* uma resenha sobre o livro *A montanha mágica*, de Thomas Mann, assinalando que o autor não é "materialista". Por essa época, flerta com o Partido Comunista Brasileiro.

Literatura brasileira:

– Vinicius de Moraes lança *Cinco elegias*.
– Jorge Amado lança o romance *Terras do sem fim*.
– José Lins do Rego publica o romance *Fogo morto*.
– Clarice Lispector estreia na literatura com o romance *Perto do coração selvagem*.

Vida nacional:

– Getúlio Vargas e Franklin Roosevelt se reúnem na Base Aérea de Natal (RN) e discutem a participação brasileira na Segunda Guerra Mundial.
– Promulgação da Consolidação das Leis do Trabalho (CLT).

Mundo:

– Um golpe militar na Argentina leva o então coronel Perón ao Ministério do Trabalho. Durante essa ditadura, ele é também nomeado ministro de Guerra e vice-presidente.
– Queda de Mussolini e rendição da Itália.
– O general americano Eisenhower é nomeado comandante das tropas aliadas.

BIBLIOGRAFIA DE CARLOS DRUMMOND DE ANDRADE

POESIA:

Alguma poesia. Belo Horizonte: Edições Pindorama, 1930.
Brejo das almas. Belo Horizonte: Os Amigos do Livro, 1934.
Sentimento do mundo. Rio de Janeiro: Pongetti, 1940.
Poesias. Rio de Janeiro: José Olympio, 1942. [*Alguma poesia, Brejo das almas, Sentimento do mundo, José.*]*
A rosa do povo. Rio de Janeiro: José Olympio, 1945.
Poesia até agora. Rio de Janeiro: José Olympio, 1948. [*Alguma poesia, Brejo das almas, Sentimento do mundo, José, A rosa do povo, Novos poemas.*]
Claro enigma. Rio de Janeiro: José Olympio, 1951.
Viola de bolso. Rio de Janeiro: Serviço de Documentação do MEC, 1952.
Fazendeiro do ar & Poesia até agora. Rio de Janeiro: José Olympio, 1954.
Viola de bolso novamente encordoada. Rio de Janeiro: José Olympio, 1955.
50 poemas escolhidos pelo autor. Rio de Janeiro: Serviço de Documentação do MEC, 1956.

* A presente bibliografia de Carlos Drummond de Andrade restringe-se às primeiras edições de seus livros, excetuando obras renomeadas. Nos casos em que os livros não tiveram primeira edição independente, os respectivos títulos aparecem entre colchetes juntamente com os demais a compor a coletânea na qual vieram a público pela primeira vez. [*N. do E.*]

Poemas. Rio de Janeiro: José Olympio, 1959. [*Alguma poesia, Brejo das almas, Sentimento do mundo, José, A rosa do povo, Novos poemas, Claro enigma, Fazendeiro do ar* e *A vida passada a limpo.*]

Antologia poética. Rio de Janeiro: Editora do Autor, 1962.

Lição de coisas. Rio de Janeiro: José Olympio, 1962.

José & outros. Rio de Janeiro: José Olympio, 1967. [*José, Novos poemas, Fazendeiro do ar, A vida passada a limpo, 4 poemas, Viola de bolso II.*]

Versiprosa. Rio de Janeiro: José Olympio, 1967.

Boitempo & A falta que ama. [*(In) Memória – Boitempo I*]. Rio de Janeiro: Sabiá, 1968.

Reunião: 10 livros de poesia. Introdução de Antonio Houaiss. Rio de Janeiro: José Olympio, 1969. [*Alguma poesia, Brejo das almas, Sentimento do mundo, José, A rosa do povo, Novos poemas, Claro enigma, Fazendeiro do ar, A vida passada a limpo, Lição de coisas* e *4 poemas.*]

As impurezas do branco. Rio de Janeiro: José Olympio, 1973.

Menino antigo (Boitempo II). Rio de Janeiro: José Olympio; Brasília: Instituto Nacional do Livro, 1973.

Esquecer para lembrar (Boitempo III). Rio de Janeiro: José Olympio, 1979.

A paixão medida. Ilustrações de Emeric Marcier. Rio de Janeiro: Alumbramento, 1980.

Nova reunião: 19 livros de poesia. 2 vols. Rio de Janeiro: José Olympio; Brasília: Instituto Nacional do Livro, 1983.

O elefante. Ilustrações de Regina Vater. Rio de Janeiro: Record, 1983.

Corpo. Ilustrações de Carlos Leão. Rio de Janeiro: Record, 1984.

Amar se aprende amando. Capa de Anna Leticya. Rio de Janeiro: Record, 1985.

Boitempo I e II. Rio de Janeiro: Record, 1987.

Poesia errante: derrames líricos (e outros nem tanto, ou nada). Rio de Janeiro: Record, 1988.

O amor natural. Ilustrações de Milton Dacosta. Rio de Janeiro: Record, 1992.

Farewell. Vinhetas de Pedro Augusto Graña Drummond. Rio de Janeiro: Record, 1996.

Poesia completa: volume único. Fixação de texto e notas de Gilberto Mendonça Teles. Introdução de Silviano Santiago. Rio de Janeiro: Nova Aguilar, 2002.

Declaração de amor, canção de namorados. Organização de Pedro Augusto Graña Drummond e Luis Mauricio Graña Drummond. Rio de Janeiro: Record, 2005.

Versos de circunstância. Organização de Eucanaã Ferraz. São Paulo: Instituto Moreira Salles, 2011.

Nova reunião: 23 livros de poesia. 3 vols. Rio de Janeiro: BestBolso, 2013.

CONTO:

O gerente. Rio de Janeiro: Horizonte, 1945.
Contos de aprendiz. Rio de Janeiro: José Olympio, 1951.
70 historinhas. Rio de Janeiro: José Olympio, 1978.
Contos plausíveis. Ilustrações de Irene Peixoto e Márcia Cabral. Rio de Janeiro: José Olympio; Editora JB, 1981.
Histórias para o rei. Rio de Janeiro: Record, 1997.

CRÔNICA:

Fala, amendoeira. Rio de Janeiro: José Olympio, 1957.
A bolsa & a vida. Rio de Janeiro: Editora do Autor, 1962.
Para gostar de ler. Com Fernando Sabino, Paulo Mendes Campos e Rubem Braga. Rio de Janeiro: Editora do Autor, 1962.
Quadrante. Com Cecília Meireles, Dinah Silveira de Queiroz, Fernando Sabino, Manuel Bandeira, Paulo Mendes Campos e Rubem Braga. Rio de Janeiro: Editora do Autor, 1962.
Quadrante II. Com Cecília Meireles, Dinah Silveira de Queiroz, Fernando Sabino, Manuel Bandeira, Paulo Mendes Campos e Rubem Braga. Rio de Janeiro: Editora do Autor, 1962.

Cadeira de balanço. Rio de Janeiro: José Olympio, 1966.
Caminhos de João Brandão. Rio de Janeiro: José Olympio, 1970.
O poder ultrajovem. Rio de Janeiro: José Olympio, 1972.
De notícias & não notícias faz-se a crônica: histórias, diálogos, divagações. Rio de Janeiro: José Olympio, 1974.
Os dias lindos. Rio de Janeiro: José Olympio, 1977.
Crônica das favelas cariocas. Rio de Janeiro: [edição particular], 1981.
Boca de luar. Rio de Janeiro: Record, 1984.
Crônicas 1930-1934. Crônicas de Drummond assinadas com os pseudônimos Antônio Crispim e Barba Azul. *Revista do Arquivo Público Mineiro*, Belo Horizonte, ano XXXV, 1984.
Moça deitada na grama. Rio de Janeiro: Record, 1987.
Autorretrato e outras crônicas. Seleção de Fernando Py. Rio de Janeiro: Record, 1989.
Quando é dia de futebol. Organização de Pedro Augusto Graña Drummond e Luis Mauricio Graña Drummond. Rio de Janeiro: Record, 2002.
Receita de Ano Novo. Organização de Pedro Augusto Graña Drummond e Luis Mauricio Graña Drummond. Ilustrações de Mariana Massarani. Rio de Janeiro: Record, 2008.

OBRA REUNIDA:

Obra completa. Estudo crítico de Emanuel de Moraes, fortuna crítica, cronologia e bibliografia. Rio de Janeiro: Nova Aguilar, 1964.
Poesia completa e prosa. Estudo crítico de Emanuel de Moraes, fortuna crítica, cronologia e bibliografia. Rio de Janeiro: Nova Aguilar, 1973.
Poesia e prosa. Estudo crítico de Emanuel de Moraes, fortuna crítica, cronologia e bibliografia. Rio de Janeiro: Nova Aguilar, 1979.

ENSAIO E CRÍTICA:

Confissões de Minas. Rio de Janeiro: Americ-Edit, 1944.

García Lorca e a cultura espanhola. Rio de Janeiro: Ateneu Garcia Lorca, 1946.

Passeios na ilha: divagações sobre a vida literária e outras matérias. Rio de Janeiro: Simões, 1952.

O observador no escritório. Rio de Janeiro: Record, 1985.

O avesso das coisas: aforismos. Ilustrações de Jimmy Scott. Rio de Janeiro: Record, 1987.

Conversa de livraria 1941 e 1948. Reunião de textos assinados sob os pseudônimos de O Observador Literário e Policarpo Quaresma, Neto. Porto Alegre: AGE; São Paulo: Giordano, 2000.

Amor nenhum dispensa uma gota de ácido: escritos de Carlos Drummond de Andrade sobre Machado de Assis. Organização de Hélio de Seixas Guimarães. São Paulo: Três Estrelas, 2019.

INFANTIL:

O pipoqueiro da esquina. Ilustrações de Ziraldo. Rio de Janeiro: Codecri, 1981.

História de dois amores. Ilustrações de Ziraldo. Rio de Janeiro: Record, 1985.

O sorvete e outras histórias. São Paulo: Ática, 1993.

A cor de cada um. Rio de Janeiro: Record, 1996.

A senha do mundo. Rio de Janeiro: Record, 1996.

Criança dagora é fogo. Rio de Janeiro: Record, 1996.

Vó caiu na piscina. Rio de Janeiro: Record, 1996.

Rick e a girafa. Ilustrações de Maria Eugênia. São Paulo: Ática, 2001.

Menino Drummond. Ilustrações de Angela Lago. São Paulo: Companhia das Letrinhas, 2021.

O gato solteiro e outros bichos. Organização de Pedro Augusto Graña Drummond. Rio de Janeiro: Record, 2022.

BIBLIOGRAFIA SOBRE CARLOS DRUMMOND DE ANDRADE (SELETA)

ACHCAR, Francisco. *A rosa do povo & Claro enigma*: roteiro de leitura. São Paulo: Ática, 1993.

AGUILERA, Maria Veronica Silva Vilariño. *Carlos Drummond de Andrade*: a poética do cotidiano. Rio de Janeiro: Expressão e Cultura, 2002.

AMZALAK, José Luiz. *De Minas ao mundo vasto mundo*: do provinciano ao universal na poética de Carlos Drummond de Andrade. São Paulo: Navegar, 2003.

ANDRADE, Carlos Drummond; SARAIVA, Arnaldo (orgs.). *Uma pedra no meio do caminho*: biografia de um poema. Apresentação de Arnaldo Saraiva. Rio de Janeiro: Editora do Autor, 1967.

ARQUIVO-MUSEU DE LITERATURA BRASILEIRA. *Inventário do Arquivo Carlos Drummond de Andrade*. Apresentação de Eliane Vasconcelos. Rio de Janeiro: Fundação Casa de Rui Barbosa, 1998.

ARRIGUCCI JR., Davi. *Coração partido*: uma análise da poesia reflexiva de Drummond. São Paulo: Cosac Naify, 2002.

BARBOSA, Rita de Cássia. *Poemas eróticos de Carlos Drummond de Andrade*. São Paulo: Ática, 1987.

BISCHOF, Betina. *Razão da recusa*: um estudo da poesia de Carlos Drummond de Andrade. São Paulo: Nankin, 2005.

BOSI, Alfredo. *Três leituras*: Machado, Drummond, Carpeaux. São Paulo: 34, 2017.

BRASIL, Assis. *Carlos Drummond de Andrade*: ensaio. Rio de Janeiro: Livros do Mundo Inteiro, 1971.

BRAYNER, Sônia (org.). *Carlos Drummond de Andrade*. Coleção Fortuna Crítica 1. Rio de Janeiro: Civilização Brasileira, 1977.

CAMILO, Vagner. *Drummond*: da rosa do povo à rosa das trevas. São Paulo: Ateliê, 2001.

CAMINHA, Edmílson (org.). *Drummond*: a lição do poeta. Teresina: Corisco, 2002.

_____. *O poeta Carlos & outros Drummonds*. Brasília: Thesaurus, 2017.

CAMPOS, Haroldo de. *A máquina do mundo repensada*. São Paulo: Ateliê, 2000.

CAMPOS, Maria José. *Drummond e a memória do mundo*. Belo Horizonte: Anome Livros, 2010.

CANÇADO, José Maria. *Os sapatos de Orfeu*: biografia de Carlos Drummond de Andrade. São Paulo: Scritta, 1993.

CARVALHO, Leda Maria Lage. *O afeto em Drummond*: da família à humanidade. Itabira: Dom Bosco, 2007.

CHAVES, Rita. *Carlos Drummond de Andrade*. São Paulo: Scipione, 1993.

COÊLHO, Joaquim-Francisco. *Terra e família na poesia de Carlos Drummond de Andrade*. Belém: Universidade Federal do Pará, 1973.

CORREIA, Marlene de Castro. *Drummond*: a magia lúcida. Rio de Janeiro: Jorge Zahar, 2002.

COSTA, Francisca Alves Teles. *O constante diálogo na poesia de Carlos Drummond de Andrade*. Fortaleza: Secretaria de Cultura e Desporto, 1987.

COUTO, Ozório. *A mesa de Carlos Drummond de Andrade*. Ilustrações de Yara Tupynambá. Belo Horizonte: ADI Edições, 2011.

CRUZ, Domingos Gonzalez. *No meio do caminho tinha Itabira*: a presença de ltabira na obra de Carlos Drummond de Andrade. Rio de Janeiro: Achiamé; Calunga, 1980.

CUNHA, Maria Antonieta Antunes. *O discurso indireto livre em Carlos Drummond de Andrade*. Belo Horizonte: Imprensa Oficial, 1971.

_____. *Carlos Drummond de Andrade*. São Paulo: Moderna, 2006.

CURY, Maria Zilda Ferreira. *Horizontes modernistas*: o jovem Drummond e seu grupo em papel jornal. Belo Horizonte: Autêntica, 1998.

DALL'ALBA, Eduardo. *Drummond*: a construção do enigma. Caxias do Sul: EDUCS, 1998.

_____. *Noite e música na poesia de Carlos Drummond de Andrade*. Porto Alegre: AGE, 2003.

DIAS, Márcio Roberto Soares. *Da cidade ao mundo*: notas sobre o lirismo urbano de Carlos Drummond de Andrade. Vitória da Conquista: Edições UESB, 2006.

FERREIRA, Diva. *De Itabira... um poeta*. Itabira: Saitec Editoração, 2004.

GALDINO, Márcio da Rocha. *O cinéfilo anarquista*: Carlos Drummond de Andrade e o cinema. Belo Horizonte: BDMG, 1991.

GARCIA, Nice Seródio. *A criação lexical em Carlos Drummond de Andrade*. Rio de Janeiro: Rio, 1977.

GARCIA, Othon Moacyr. *Esfinge clara*: palavra-puxa-palavra em Carlos Drummond de Andrade. Rio de Janeiro: São José, 1955.

GLEDSON, John. *Poesia e poética de Carlos Drummond de Andrade*. Tradução do autor. São Paulo: Duas Cidades, 1982.

_____. *Influências e impasses:* Drummond e alguns contemporâneos. São Paulo: Companhia das Letras, 2003.

GUIMARÃES, Júlio Castañon. *Distribuição de papéis*: Murilo Mendes escreve a Carlos Drummond de Andrade e a Lúcio Cardoso. Rio de Janeiro: Fundação Casa de Rui Barbosa, 1996.

GUIMARÃES, Raquel Beatriz Junqueira. *Pedro Nava, leitor de Drummond*. Campinas: Pontes, 2002.

HOUAISS, Antonio. *Drummond mais seis poetas e um problema*. Rio de Janeiro: Imago, 1976.

INOJOSA, Joaquim. *Os Andrades e outros aspectos do Modernismo*. Rio de Janeiro: Civilização Brasileira, 1975.

KINSELLA, John. *Diálogo de conflito*: a poesia de Carlos Drummond de Andrade. Natal: Editora da UFRN, 1995.

LAUS, Lausimar. *O mistério do homem na obra de Drummond*. Rio de Janeiro: Tempo Brasileiro; Brasília: Instituto Nacional do Livro, 1978.

LIMA, Mirella Vieira. *Confidência mineira*: o amor na poesia de Carlos Drummond de Andrade. Campinas: Pontes; São Paulo: EDUSP, 1995.

LINHARES FILHO. *O amor e outros aspectos em Drummond*. Fortaleza: Editora UFC, 2002.

LOPES, Carlos Herculano. *O vestido*. São Paulo: Geração Editorial, 2004.

LUCAS, Fábio. *O poeta e a mídia*: Carlos Drummond de Andrade e João Cabral de Melo Neto. São Paulo: Senac, 2003.

MAIA, Maria Auxiliadora. *Viagem ao mundo* gauche *de Drummond*. Salvador: Edição da autora, 1984.

MALARD, Letícia. *No vasto mundo de Drummond*. Belo Horizonte: Editora UFMG, 2005.

MARIA, Luzia de. *Drummond*: um olhar amoroso. Rio de Janeiro: Léo Christiano Editorial, 1998.

MARQUES, Ivan. *Cenas de um modernismo de província*: Drummond e outros rapazes de Belo Horizonte. São Paulo: 34, 2011.

MARTINS, Hélcio. *A rima na poesia de Carlos Drummond de Andrade*. Introdução de Antonio Houaiss. Rio de Janeiro: José Olympio, 1968.

MARTINS, Maria Lúcia Milléo. *Duas artes*: Carlos Drummond de Andrade e Elizabeth Bishop. Belo Horizonte: Editora UFMG, 2006.

MELO, Tarso de; STERZI, Eduardo. *7 X 2 (Drummond em retrato)*. Santo André: Alpharrabio, 2002.

MERQUIOR, José Guilherme. *Verso universo em Drummond*. Tradução de Marly de Oliveira. Rio de Janeiro: José Olympio, 1975.

MICELI, Sergio. *Lira mensageira*: Drummond e o grupo modernista mineiro. São Paulo: Todavia, 2022.

MONTEIRO, Salvador; KAZ, Leonel (orgs.). *Drummond frente e verso*: fotobiografia de Carlos Drummond de Andrade. Rio de Janeiro: Alumbramento; Livroarte, 1989.

MORAES, Emanuel de. *Drummond rima Itabira mundo*. Rio de Janeiro: José Olympio, 1972.

MORAES, Lygia Marina. *Conheça o escritor brasileiro Carlos Drummond de Andrade*. Rio de Janeiro: Record, 1977.

MORAES NETO, Geneton. *O dossiê Drummond*. São Paulo: Globo, 1994.

MOTTA, Dilman Augusto. *A metalinguagem na poesia de Carlos Drummond de Andrade*. Rio de Janeiro: Presença, 1976.

NOGUEIRA, Lucila. *Ideologia e forma literária em Carlos Drummond de Andrade*. Recife: Fundarpe, 1990.

PY, Fernando. *Bibliografia comentada de Carlos Drummond de Andrade (1918-1930)*. Rio de Janeiro: José Olympio; Brasília: Instituto Nacional do Livro, 1980.

ROSA, Sérgio Ribeiro. *Pedra engastada no tempo*: ao cinquentenário do poema de Carlos Drummond de Andrade. Porto Alegre: Cultura Contemporânea, 1978.

SAID, Roberto. *A angústia da ação*: poesia e política em Drummond. Curitiba: Editora UFPR; Belo Horizonte: Editora UFMG, 2005.

SANT'ANNA, Affonso Romano de. *Drummond, o gauche no tempo*. Rio de Janeiro: Lia Editor; Instituto Nacional do Livro, 1972.

SANTIAGO, Silviano. *Carlos Drummond de Andrade*. Petrópolis: Vozes, 1976.

SANTOS, Vivaldo Andrade dos. *O trem do corpo*: estudo da poesia de Carlos Drummond de Andrade. São Paulo: Nankin, 2006.

SCHÜLER, Donaldo. *A dramaticidade na poesia de Drummond*. Porto Alegre: URGS, 1979.

SILVA, Sidimar. *A poeticidade na crônica de Drummond*. Goiânia: Kelps, 2007.

SIMON, Iumna Maria. *Drummond*: uma poética do risco. São Paulo: Ática, 1978.

SÜSSEKIND, Flora. *Cabral – Bandeira – Drummond*: alguma correspondência. Rio de Janeiro: Fundação Casa de Rui Barbosa, 1996.

SZKLO, Gilda Salem. *As flores do mal nos jardins de Itabira*: Baudelaire e Drummond. Rio de Janeiro: Agir, 1995.

TALARICO, Fernando Braga Franco. *História e poesia em Drummond*: A rosa do povo. Bauru: EDUSC, 2011.

TEIXEIRA, Jerônimo. *Drummond*. São Paulo: Abril, 2003.

_____. *Drummond cordial*. São Paulo: Nankin, 2005.

TELES, Gilberto Mendonça. *Drummond*: a estilística da repetição. Prefácio de Othon Moacyr Garcia. Rio de Janeiro: José Olympio, 1970.

VASCONCELLOS, Eliane. *O Arquivo-Museu de Literatura Brasileira*: um sonho drummondiano. Rio de Janeiro: Fundação Casa de Rui Barbosa, 2002.

VIANA, Carlos Augusto. *Drummond*: a insone arquitetura. Fortaleza: Editora UFC, 2003.

VIEIRA, Regina Souza. *Boitempo*: autobiografia e memória em Carlos Drummond de Andrade. Rio de Janeiro: Presença, 1992.

VILLAÇA, Alcides. *Passos de Drummond*. São Paulo: Cosac Naify, 2006.

WALTY, Ivete Lara Camargos; CURY, Maria Zilda Ferreira (orgs.). *Drummond*: poesia e experiência. Belo Horizonte: Autêntica, 2002.

WISNIK, José Miguel. *Maquinação do mundo*: Drummond e a mineração. São Paulo: Companhia das Letras, 2018.

YUNES, Eliana; BINGEMER, Maria Clara L. (orgs.). *Murilo, Cecília e Drummond*: 100 anos com Deus na poesia brasileira. São Paulo: Loyola, 2004.

ÍNDICE DE PRIMEIROS VERSOS

A alma cativa e obcecada, 29
A noite desceu. Que noite!, 41
À noite, do morro, 20
Alguns anos vivi em Itabira, 11
Chega um tempo em que não se diz mais: meu Deus, 35
Clara passeava no jardim com as crianças, 45
Dentaduras duplas!, 37
É preciso casar João, 12
Em vossa casa feita de cadáveres, 43
Esse incessante morrer, 31
Eu sou a Moça-Fantasma, 13
Havia a um canto da sala um álbum de fotografias intoleráveis, 22
Na noite lenta e morna, morta noite sem ruído, um menino chora, 19
Na rua passa um operário, 17
Não serei o poeta de um mundo caduco, 36
Não, meu coração não é maior que o mundo, 47
Neste terraço mediocremente confortável, 24
O amor não tem importância, 26
Os conselheiros angustiados, 16
Os homens célebres visitam a cidade, 30
Os inocentes do Leblon, 25
Poetas de camiseiro, chegou vossa hora, 23
Provisoriamente não cantaremos o amor, 21

Quando vou para Minas, gosto de ficar de pé, contra a vidraça do carro, 40
Silencioso cubo de treva:, 49
Tenho apenas duas mãos, 9
Teus dois cinemas, um ao pé do outro, por que não se afastam, 28
Trabalhas sem alegria para um mundo caduco, 46

Este livro foi composto na tipografia
Arno Pro, em corpo 11/14, e impresso
em papel off-white na Plena Print.